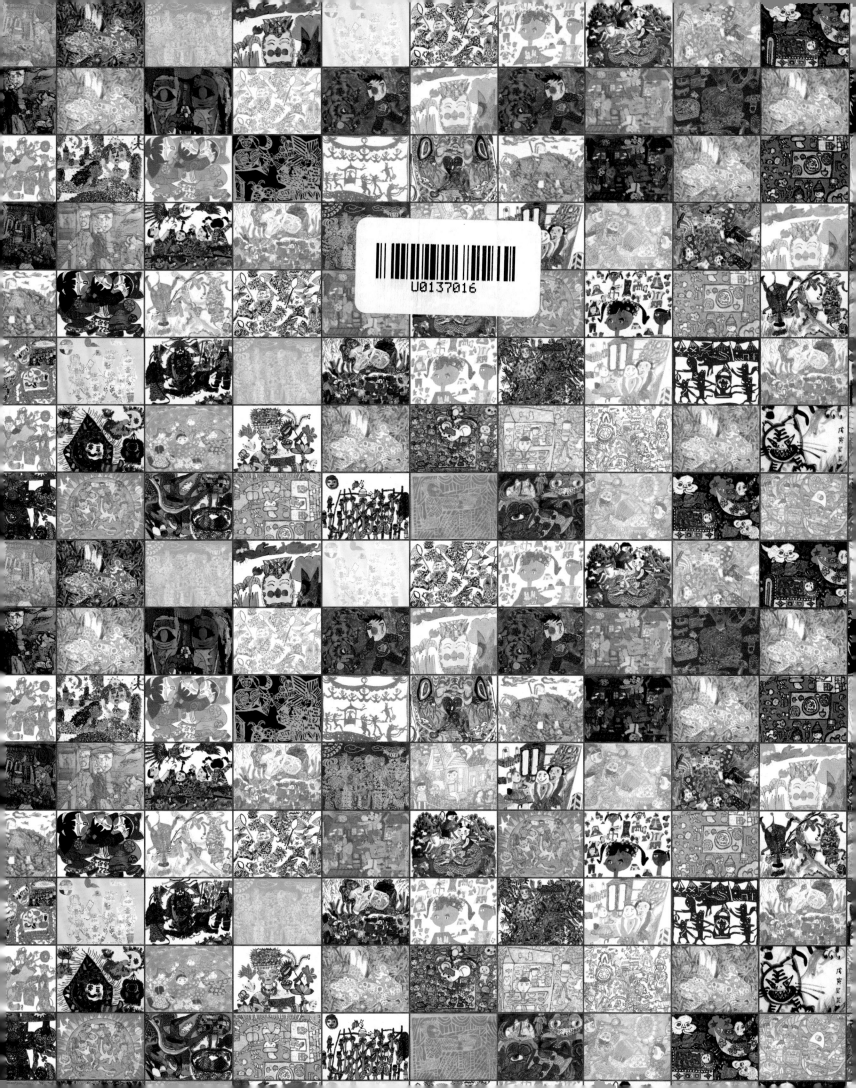

U0137016

金波 主编

一个蛤蟆一张嘴

TONGYAO

TONGHUA

童 谣

童 画

山东美术出版社

诗情画意　亲子共读

——《童谣童画》序

　　人在婴幼时期，自牙牙学语，便开始诵唱童谣。我记得在童谣中有这样的句子："三岁娃，会唱歌，不是爹妈教我的，聪明灵巧捡得多。"这说明童谣出自胸臆，纯乎天籁。

　　童谣不但是娱儿的艺术，也是学习语言的有趣的"教材"。

　　童谣的重要功能是让孩子快乐。

　　古代论述童谣，将它称作"天地之妙文"。我想，妙就妙在它意到口随，自然天成。

　　童谣所咏唱的内容，很贴近儿童的生活，尤其贴近儿童快乐的天性。所用的语言，浅明俚俗，在歌唱性上，随韵粘合，入耳悦心。所以听得懂，记得住，传得广，记得牢。

　　说起童谣，自然又使我联想到儿童画。

　　儿童的绘画，似乎从一开始，就不是一笔一画教出来的，更多的倒是信笔涂鸦。

　　面对色彩，儿童从小就有一种亲切感。他们拿起画笔，往往不加思索，就开始了想象的驰骋，思维与画笔同步，意到笔随，天马行空一般。此时，他们似乎离开了现实生活，进入了一个幻想的境界，进入了他所绘画的角色，甚至忘了自己；那时候，他完全是在愉悦的情绪中，随意洒脱地创造着他的另一个色彩的世界。

　　孩子的画，完全是一片新春的天地，虽说是"涂鸦之作"，但却是进入了一个雏形创作期。他们绘画中所表现的抽象性、稚拙性、动态性完全是他们童心的自然流露，幻想的飞翔。

　　这本《童谣童画》，就是让小画家们熟读这些童谣以后，将文学形象转化为绘画的语言表现，它是诗与画的融合，既培养了孩子们对于文学的想象力，又培养了他们绘画的才能。

　　童谣童画，你中有我，我中有你，互相参照，互相补充，大大提高了文学艺术的表现力。

　　童谣童画，将文学之美，声音之美，色彩之美，融为一体，图文并茂，声情并茂，它对于培养和发展儿童综合的艺术素质提供了一条新的途径。

　　赏读这本《童谣童画》，需要静下心来玩味，把听觉与视觉调动起来，在诵唱童谣的美听之中，以绘画的色彩悦目，在欣赏绘画的悦目之中，感受声音之美。

　　《童谣童画》是一本艺术的书，又是一本亲子共读的书；亲子与艺术在阅读的过程中，带给你另一种温馨。

金　波

一九九八年四月于北京

童谣童画

目 录

鸭 子……………………………………………1
数蛤蟆……………………………………………2
牵牛花……………………………………………4
什么弯弯弯上天…………………………………5
雨…………………………………………………6
咩咩羊……………………………………………7
眼…………………………………………………8
背太阳……………………………………………9
高高山上一头牛…………………………………10
七个妞妞来摘果…………………………………12
种莲子……………………………………………13
虎和兔……………………………………………14
小红鲤……………………………………………16
芋 头……………………………………………17
嘴…………………………………………………18
公 鸡……………………………………………20
萤火虫……………………………………………21
红萝卜……………………………………………22
雁 雁……………………………………………24
星…………………………………………………25
狗与斗……………………………………………26
五指歌……………………………………………28
燕燕燕……………………………………………29
蟹 子……………………………………………30
梧桐树……………………………………………31
石竹花……………………………………………32

童谣童画

小燕子 …………………………………………………… 33

关大门 …………………………………………………… 34

看月歌 …………………………………………………… 36

大公鸡上碾台 …………………………………………… 37

小白兔 …………………………………………………… 38

小蝌蚪 …………………………………………………… 40

小巴狗 …………………………………………………… 41

兔鼠树 …………………………………………………… 42

十二月花 ………………………………………………… 44

猫儿捉蜻蜓 ……………………………………………… 45

小柳树 …………………………………………………… 46

逮个大老耗 ……………………………………………… 47

什么飞过青又青 ………………………………………… 48

牛儿呵莽着 ……………………………………………… 50

知　了 …………………………………………………… 51

蚕姑娘 …………………………………………………… 52

乌　鸦 …………………………………………………… 54

天上星啦斗 ……………………………………………… 55

小耗子 …………………………………………………… 56

小西瓜 …………………………………………………… 58

金　鹅 …………………………………………………… 59

白　鸭 …………………………………………………… 60

大白鹅 …………………………………………………… 61

风来了 …………………………………………………… 62

雁 ………………………………………………………… 64

一棵草满地跑 …………………………………………… 66

大姐生得美 ……………………………………………… 68

落　叶 …………………………………………………… 70

小白兔 …………………………………………………… 72

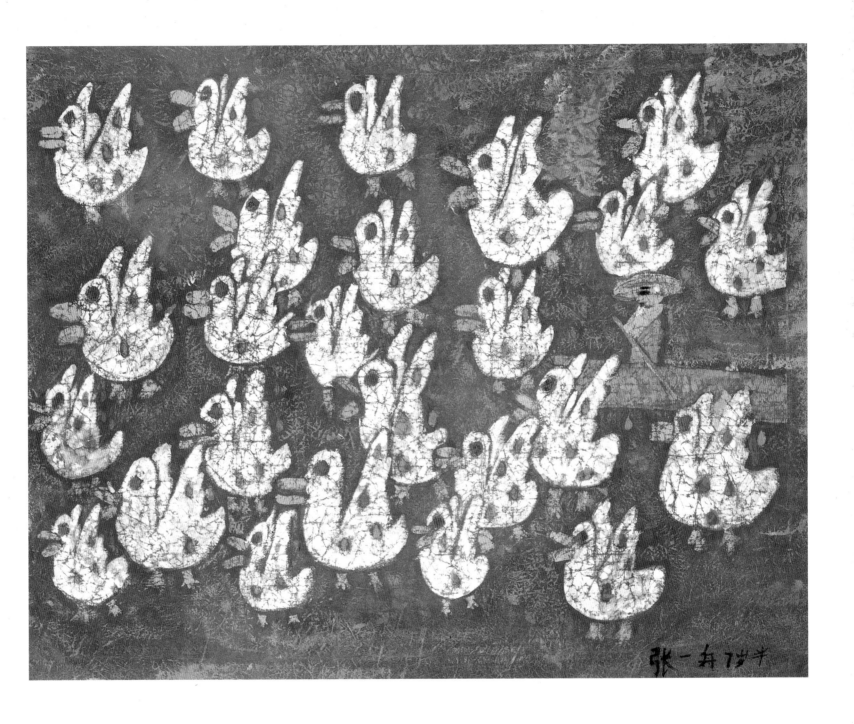

鸭　子

鸭子鸭子呷呷叫，
好像小船水上漂；
两只小腿当双桨，
拍拍翅膀伸懒腰。

高丽纸　墨汁　水粉
(57cm × 44cm)
张一舟　女　7岁
四川省成都市青少年宫
指导教师　刘玉林

数蛤蟆

一个蛤蟆一张嘴，
两个眼睛四条腿，
"兵蹦、兵蹦"跳下水。
二个蛤蟆二张嘴，
四个眼睛八条腿，
"兵蹦、兵蹦"跳下水。

铜版纸　水粉
(39cm × 54cm)
杨开智　男　10岁
四川省成都市青少年宫
指导教师　徐家林

数蛤蟆

色纸 钢笔 油粉笔
(54cm × 39cm)
钟成瑶 女11岁
四川省成都市青少年宫
指导教师 程 萍

牵牛花

竹篱下，
开着牵牛花，
不牵牛来牵喇叭，
笑话不笑话！

彩色水笔
(42cm × 30cm)
邹于睿　男　6岁
新疆维吾尔自治区
乌鲁木齐市业余美术学校
指导教师　武　君

什么弯弯弯上天

月亮弯弯弯上天，
白藕弯弯在水边，
黄瓜弯弯街上卖，
木梳弯弯姑娘前。

高丽纸 水粉 墨汁
（48cm×48cm）
王华旸 女8岁
山东省少年儿童美术学校
指导教师 李力加

雨

千条线，
万条线，
掉在河里看不见。

玻璃卡纸　麦克笔
(54cm × 39cm)
高　路　男　12岁
山东省青岛市实验小学
指导教师　高东方

咩咩羊

咩咩羊，
翻城墙，
城墙高，
四脚跳。
城墙矮，
尾巴摆。

白卡纸 油粉笔
（39cm × 54cm）
李 茜 女 10岁
山东省青岛市台东五路小学
指导教师 刘璐妤

眼

房檐对房檐，
房檐底下一对湾，
人不死，
湾不干。

钢笔　彩色墨水　油粉笔
(62cm × 44cm)
尚　园　男　8岁
北京市中国少年儿童艺术培训中心
指导教师　尚云波

背太阳

太阳娃娃要回家，
大山爷爷来背他，
哼唷唷，哼唷唷，
一背背到西山洼。

水粉　油粉笔
(88cm × 122cm)
张 蕾　女9岁
四川省广元市宝轮镇
水电五局明珠少儿美术班
指导教师　于国彦

高高山上一头牛

高高山上一头牛，
两个犄角一个头；
四个蹄子分八瓣，
尾巴长在身后头。

色纸　银笔　水粉
(54cm × 39cm)
李贝迪　男7岁
四川省成都市青少年宫
指导教师　刘玉林

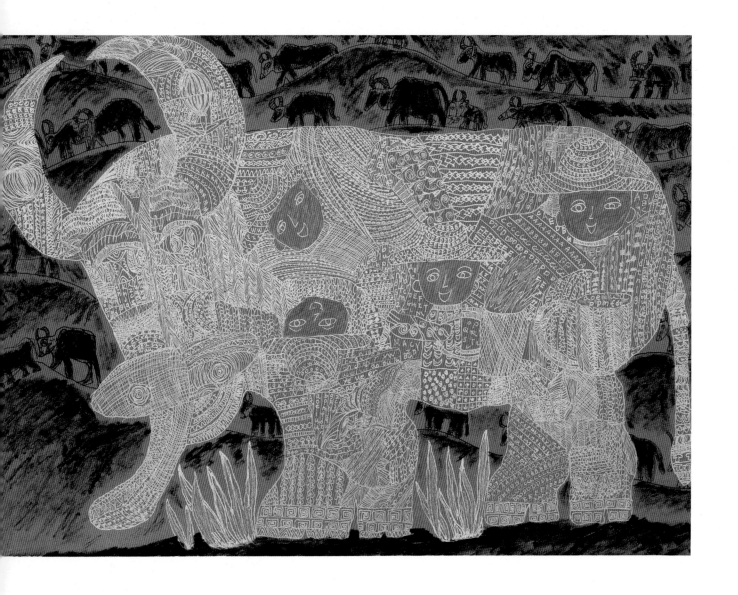

高高山上一头牛

彩色水笔
(54cm × 39cm)
边 延 女9岁
北京市中国少年儿童艺术培训中心
指导教师 张 静

七个妞妞来摘果

一二三四五六七，

七六五四三二一。　　七个果子七个样：

七个妞妞来摘果，　　苹果、桃儿、石榴、

七个花篮手中提，　　柿子、李子、栗子、梨。

色卡纸　色粉笔
(54cm × 39cm)
毕瑞野　男7岁
四川省成都市青少年宫
指导教师　程　萍

种莲子

种莲子，开荷花，
种花子，结大瓜。
不种它，哪有它？

彩色水笔
(27cm × 39cm)
万乙良　男7岁
新疆维吾尔族自治区
乌鲁木齐市业余美术学校
指导教师　武　君

虎和兔

坡上有只大老虎，
坡下有只小灰兔；
老虎饿肚肚，
想吃灰兔兔。
虎追兔，
兔躲虎，
老虎满坡找灰兔；
兔钻窝，虎扑兔，
刺儿扎痛虎屁股。
气坏了虎，
乐坏了兔；
饿虎肚里咕咕咕，
窝里笑坏了小灰兔。

宣纸　墨汁　国画颜料
(41cm × 54cm)
吴　昊　男10岁
山东省青岛市文登路小学
指导教师　阎丽菊

虎和兔

砂纸 油粉笔
(28cm × 23cm)
吴俊彦 男7岁
广东省广州市少年宫美术学校
指导教师 关小蕾

小红鲤

小红鲤，红红鳃，
上江游到下江来。
上江吃的灵芝草，
下江吃的绿青苔。

高丽纸　水粉　墨汁
（48cm × 48cm）
王华旸　女8岁
山东省少年儿童美术学校
指导教师　李力加

芋 头

竹竿子，挑绸子，
一年一窝地下猴子。

彩色墨水　油粉笔　钉子
(39cm × 27cm)
刘 立　男9岁
山东省少年儿童美术学校
指导教师　李力加

嘴

红门槛儿，
白石台儿，
里头盛个小红孩儿。

高丽纸　水粉
(55cm × 43cm)
刘　洋　男 8 岁
四川省成都市青少年宫
指导教师　刘玉林

嘴

彩色水笔
(39cm × 54cm)
舒　畅　男 10 岁
四川省成都市青少年宫
指导教师　刘玉林

公　鸡

一朵芙蓉头上戴，
彩衣不用剪刀裁，
虽然不是英雄汉，
叫得千门万户开。

油粉笔
(39cm × 27cm)
许逸帆　男7岁
上海市中国福利会少年宫
指导教师　吕仁嘉

萤火虫

萤火虫，
小灯灯，
夜里飞到草丛丛，
草里藏着蛤蟆精，
快快飞到花丛丛，
讲个笑话给你听。

油粉笔 水粉
(54cm × 39cm)
崔雪飞 男9岁
山东省少年儿童美术学校
指导教师 李力加

红萝卜

红公鸡，绿尾巴，
一头钻在泥底下。

彩色水笔
(38cm × 46cm)
李 舟 女12岁
北京市中国少年儿童艺术培训中心
指导教师 张 静

红萝卜

油粉笔　水粉
(88cm × 122cm)
盖澜涛　男5岁
四川省广元市宝轮镇
水电五局明珠少儿美术班
指导教师　于国彦

雁　雁

雁，雁，摆不齐，
掉到河里哭姨姨。

雁，雁，齐摆摆，
掉到河里哭奶奶。

玻璃卡纸　彩色水笔
(54cm × 39cm)
于克来　女5岁
山东省青岛市市南区机关幼儿园
指导教师　阎丽菊

星

满天星，
亮晶晶，
青石板上钉铜钉。

油粉笔 水粉
(54cm × 39cm)
尹 琼 女5岁
四川省广元市宝轮镇
水电五局明珠少儿美术班
指导教师 于国彦

狗与斗

墙上挂只斗，
地下卧条狗，
斗掉下来扣住狗，
狗翻起来咬住斗。
是斗扣狗，
还是狗咬斗。

色纸　油粉笔
(39cm × 54cm)
林　莉　女　10岁
山东省青岛市小白于路第二小学
指导教师　刘璐妤

狗与斗

色卡纸 水粉
(54cm × 39cm)
李梅里 男 9岁
广东省广州市少年宫美术学校
指导教师 关小蕾

五指歌

一二三四五，　　松鼠有几个，
上山打老虎。　　让我数一数。
老虎打不到，　　数去又数来，
打到小松鼠。　　一二三四五。

铜版纸　水粉
(54cm × 39cm)
周　润　女7岁
四川省成都市青少年宫
指导教师　徐家林

燕燕燕

燕燕燕！
飞过天；
天门关，
飞过山；
山头白，
飞过麦；
麦头摇，
飞过桥；
桥顶招新妇，
桥下打花鼓。
新妇多少大？
双锁门头挨勿过。
新妇多少长？
插朵珠花撞大梁。

水粉
(39cm × 54cm)
王华旸　女8岁
山东省少年儿童美术学校
指导教师　李力加

蟹 子

石板儿对石板儿，
石板儿底下一对眼儿，
八把尖刀，
一对绣花剪儿。

钢笔　彩色墨水　油粉笔
(52cm × 39cm)
于茜茜　女　11岁
山东省少年儿童美术学校
指导教师　李力加

梧桐树

梧桐树，

梧桐花，

梧桐树上结喇叭，

喇叭老了结葫芦，

葫芦老了还开花。

白卡纸 油粉笔
(54cm × 39cm)
李鹏莹 女 7岁
山东省青岛市实验小学
指导教师 刘璐妤

石竹花

石竹子花儿，
不害羞，
哩哩啦啦开到秋！

彩色水笔
(39cm × 27cm)
杨夷白　女8岁
新疆维吾尔自治区
乌鲁木齐市业余美术学校
指导教师　武　君

小燕子

小燕子，飞得高， 剪根树枝当枕头，
身上带把小剪刀， 剪块泥巴搭窝窝，
上天去剪云朵朵， 剪片树叶当被子，
下河去剪水波波； 宝宝睡得暖和和。

记号笔 油粉笔 彩色墨水
(38cm × 29cm)
延 璐 女7岁
山东省少年儿童美术学校
指导教师 李力加

关大门

一二三四五，　家家关大门。
上山抓老虎。　门对门，虎对虎，
老虎想吃人，　恰好对着中指拇。

油粉笔
(39cm × 27m)
龚 骏 男 7岁
上海市中国福利会少年宫
指导教师 夏 峰

关大门

高丽纸 水粉 墨汁
(54cm × 45cm)
皇甫晓亮 男 9岁
四川省成都市青少年宫
指导教师 刘玉林

看月歌

初一看不见，
初二一条线，　　　　十七十八月迟出，
初三初四镰刀月，　　一天更比一天瘦，
初七初八圆半边，　　廿九三十月难见，
直到十五月团圆。　　下月初二再出现。

彩色铅笔　彩色墨水
(54cm × 39cm)
刘雯琼　女8岁
湖南省长沙市儿童活动中心
指导教师　古　方

大公鸡上碾台

大公鸡上碾台，

看看媳妇赶儿来。

初一不来十五来，

一篓子饽饽两篓子鞋。

油粉笔 水粉
(46cm × 37m)
耿 昊 男8岁
山东省少年儿童美术学校
指导教师 李力加

小白兔

小白兔，白又白，
两个耳朵竖起来，
爱吃萝卜爱吃菜，
跑起路来真叫快。

色纸 水粉 油粉笔
(54cm × 39cm)
解颖桐 女 5岁
四川省成都市青少年宫
指导教师 刘玉林

小白兔

油粉笔 彩色水笔 水粉
(39cm × 27cm)
陈璐婷 女 11岁
上海市中国福利会少年宫
指导教师 吕仁嘉

小蝌蚪

小蝌蚪，
水里游，
细细的尾巴，
大大的头。

记号笔　油粉笔　水粉
(39cm × 54cm)
于茜茜　女 11 岁
山东省少年儿童美术学校
指导教师　李力加

小巴狗

小巴狗儿，真奇怪，
反穿皮袄毛朝外；
龇着牙，咧着嘴，
一条尾巴，四条腿。

高丽纸 水粉 墨汁
(72cm × 45cm)
钟成瑶 女11岁
四川省成都市青少年宫
指导教师 程 萍

兔鼠树

一只鼠，一只兔，　　咯吱一声倒下树，

兔鼠同去伐小树。　　牢牢压住小灰鼠。

兔挖土，鼠咬树，　　树压鼠，鼠压兔，

惊动吃草小肥猪。　　兔儿压住小肥猪，

猪架兔，兔背鼠，　　猪儿压土唤不住：

齐心协力撼小树。　　"兔、鼠、树，树、兔、鼠……"

彩色墨水　墨汁　油粉笔　锥子
(54cm × 39cm)
于小龙　男8岁
山东省少年儿童美术学校
指导教师　李力加

兔鼠树

油粉笔　水粉
(27cm × 39cm)
黄　鑫　男7岁
山东省少年儿童美术学校
指导教师　李力加

钢笔 彩色墨水

十二月花

正月梅花香又香，	七月栀花头上戴。
二月兰花盆里装。	八月丹桂满枝香。
三月桃花红千里。	九月菊花初开放。
四月蔷薇靠短墙。	十月芙蓉正上妆。
五月石榴红似火。	十一月水仙案上供。
六月荷花满池塘。	十二月腊梅雪里香。

钢笔 彩色墨水
(54cm × 39cm)
于茜茜 女 11 岁
山东省少年儿童美术学校
指导教师 李力加

猫儿捉蜻蜓

猫儿捉蜻蜓，
蜻蜓飞过墙，
猫儿恨自己，
没有长翅膀。

高丽纸 水粉 墨汁
(54cm × 39cm)
吴 婷 女9岁
四川省成都市青少年宫
指导教师 刘玉林

小柳树

小柳树，

满地栽；

金花儿谢，

银花儿开。

钢笔　彩色水笔

(37cm × 30cm)

李妙妙　女6岁

湖南省长沙市儿童活动中心

指导教师　古　方

逮个大老耗

钓小鱼，
喂花猫，
花猫吃了咪咪笑，
夜里夜里别睡觉，
给我逮个大老耗。

钢笔　彩色水笔
（54cm × 39cm）
张　墨　男 11岁
北京市中国少年儿童艺术
培训中心
指导教师　张维信

什么飞过青又青

什么飞过青又青？
青翠飞过青又青；
什么飞过打铜铃？
白鸽飞过打铜铃；
什么飞过呢喃响？
燕子飞过呢喃响；
什么飞过不做声？
蝙蝠飞过不做声。

水粉
(39cm × 54cm)
邵 俊 女6岁
湖南省长沙市儿童活动中心
指导教师 古 方

什么飞过青又青

水粉　银笔
(46cm × 46cm)
谢典佑　男9岁
湖南省长沙市儿童活动中心
指导教师　古　方

牛儿呵莽着

牛儿呵莽着，
黄花地里躺着。
你也忙，
我也忙，
伸出角来七尺长。

灰卡纸　油粉笔　墨汁
(54cm × 39cm)
刘昊远　男7岁
山东省少年儿童美术学校
指导教师　李力加

知　了

知了，知了，
往下退，
我给你一床被。
知了，知了，
往下走，
我给你一壶酒。

高丽纸　水粉　墨汁
(72cm × 44cm)
苏碧瑶　女6岁
四川省成都市青少年宫
指导教师　程　萍

蚕姑娘

蚕姑娘，
白又胖，
小桑叶，
做花床，
吐银丝，
做衣裳，
穿起来，
好漂亮。

彩色水笔
(27cm × 39cm)
杨 晖 女8岁
湖南省长沙市儿童活动中心
指导教师 古 方

蚕姑娘

钢笔 彩色水笔 彩色铅笔
(54cm × 39cm)
刘 江 男 9 岁
湖南省长沙市儿童活动中心
指导教师 古 方

乌　鸦

黑大汉，

穿黑袍，

走起路来两扇摇，

娃娃你猜它是么？

乌鸦乌鸦天上叫。

水粉

(54cm × 39cm)

毕铭达　男7岁

北京市丰台区少年宫

指导教师　罗　珍

天上星啦斗

天上星啦斗，
地下鸡啦狗，
园里葱啦韭，
河里鱼啦藕。

油粉笔 水粉
(54cm × 39cm)
王美申 男6岁
北京市丰台区少年宫
指导教师 罗 珍

小耗子

小耗子儿一身毛，　三更半夜你走一遭；
三更半夜把墙刨；　不定哪会儿猫瞧见，
放着白天你不走，　连皮带骨一齐嚼。

水粉　油粉笔
(39cm × 27cm)
蔡　正　男9岁
上海市中国福利会少年宫
指导教师　吕仁嘉

小耗子

钢笔 彩色铅笔

(54cm × 39cm)

徐璁聪 男 10 岁

北京市中国少年儿童艺术培训中心

指导教师 张 静

小西瓜

小西瓜儿，

圆溜溜，

红瓤儿黑子儿在里头。

彩色水笔
(39cm × 27cm)
吴 阳 男8岁
新疆维吾尔自治区
乌鲁木齐市业余美术学校
指导教师 武 君

金　鹅

金鹅头向天，
代代出神仙。
金鹅头向水，
代代出神鬼。

油粉笔　记号笔　水粉
(76cm × 52cm)
曲晓帆　女8岁
山东省少年儿童美术学校
指导教师　李力加

白　鸭

白鸭，白鸭，　　捧着回家，

水里呱呱，　　　笑哈哈，

池边下蛋，　　　笑哈哈。

水粉
(54cm × 39cm)
赵欣媛　女6岁
北京市丰台区少年宫
指导教师　罗　珍

水粉画
(54cm × 39cm)
赵 斐 女12岁
广东省广州市少年宫美术学校
指导教师 关小蕾

大白鹅

大白鹅，个子高，
穿白袍，戴黄帽，
走起路来摇呀摇。
常到河里去洗澡，
看见鱼虾吃个饱。

风来了

风来了，雨来了，
蛤蟆背着鼓来了。
什么鼓？花花鼓，
乒乒乒乒二百五。

彩色水笔　水粉
(54cm × 39cm)
曾利彬　男6岁
湖南省长沙市儿童活动中心
指导教师　汪淮海

风来了

钢笔 彩色水笔
(54cm × 39cm)
张 鑫 男 8 岁
湖南省长沙市儿童活动中心
指导教师 古 方

雁

雁、雁，人字排，　　带了草儿，
唱着歌儿北边来，　　带了小雨浇新麦，
带了花儿，　　　　　给我带个金蛋来。

彩色墨水　水粉
（54cm × 39cm）
刘潇雨　女9岁
湖南省长沙市儿童活动中心
指导教师　古　方

雁

钢笔 彩色水笔
(27cm × 39cm)
谢典佑 男9岁
湖南省长沙市儿童活动中心
指导教师 古 方

一棵草满地跑

一棵草，满地跑，

开黄花，结元宝。

报纸 油粉笔

(54cm × 39cm)

许 诺 女8岁

山东省青岛市实验小学

指导教师 阎丽菊

一棵草满地跑

彩色水笔
(39cm × 27cm)
郭妍宁　女7岁
新疆维吾尔自治区
乌鲁木齐市业余美术学校
指导教师　武　君

大姐生得美

大姐生得美，
二姐歪歪嘴，
三姐龇着牙，
四姐一兜水。

油粉笔　水粉
（39cm × 32cm）
徐　丹　女6岁
北京市丰台区少年宫
指导教师　罗　珍

大姐生得美

彩色水笔
(39cm × 27cm)
封 君 女8岁
新疆维吾尔自治区
乌鲁木齐市业余美术学校
指导教师 武 君

落 叶

秋风吹，　　　　　红树叶，
树叶摇，　　　　　黄树叶，
红叶黄叶往下掉。　片片飞来像蝴蝶。

油粉笔　水粉
(39cm × 27cm)
李 昂 女9岁
山东省少年儿童美术学校
指导教师 李力加

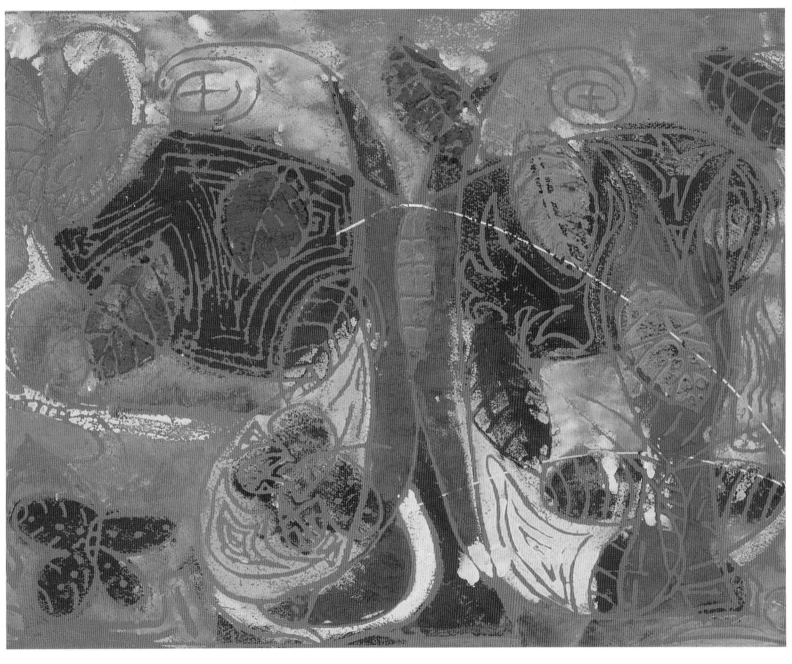

落　叶

吹塑纸　水粉
(54cm × 39cm)
王　澍　男8岁
山东省少年儿童美术学校
指导教师　李力加

钢笔 油粉笔
(39cm × 27cm)
张 梦 女7岁
山东省少年儿童美术学校
指导教师 李力加

小白兔

小白兔，真灵巧，
红眼睛，白皮袄；
前腿短又小，
后腿长又高，
走起路来蹦又跳。

童谣童画

策　　划: 李　新

主　　编: 金　波

副 主 编: 姜衍波

编　　委:　王　恺　　李力加　　古　方　　刘玉林

　　　　　　崔　苓　　于国彦　　关小蕾　　徐家林

　　　　　　程　萍　　黄祥清　　白恩平　　武　君

　　　　　　罗晓红　　李　毅　　阎丽菊　　高东方

　　　　　　罗　珍　　张　静　　吕仁嘉　　刘璐妤

文字审订: 李万鹏　　山　曼

绘画审订: 杨景芝　　王　恺　　米海峰　　李力加

　　　　　　古　方　　刘玉林　　崔　苓　　于国彦

责任编辑: 王　恺

封面设计: 韩济平